大徳寺 大仙院

尾関宗園　水野克比古

龍宝山大徳寺塔頭　大仙院

前／方丈から枯山水庭園を望む

front: Viewing the dry landscape garden from the *hôjô* (abbot's chamber).

左／蓬莱山を中心とする上の石庭

left: The upper rock garden, with Hôraisan, the Mountain Isle of Eternal Youth, as its central fearture.

左／方丈書院「生苔室」千利休が豊臣秀吉に茶を呈したところとして有名

left: The *hôjô*'s *shoin* (formal study), named Suishôshitsu,
noted as where Sen Rikyû served tea to the hegemon Toyotomi Hideyoshi.

右／枯れ滝からの流れに架けられた石橋

right: The stone bridge over the flow emerging from the dry waterfall.

鯉の滝登りの気鋭を表わす蓬萊山直下の鯉魚石と、
それをたたえているという方丈の縋破風

The carp rock directly below the Hôraisan, prepared to climb the waterfall,
and the eave of the *hôjô* roof, watching over the scene in admiration.

左／透渡殿の火頭窓から蓬莱山を望む　右・観音石　左・不動石

left: View of the Hôraisan from the *katô-mado* of the connecting corridor.
On the right is the Kannon (Skt., *Avalokitesvara*) rock; on the left, the Fudô (Skt., *Acalanatha*) rock.

右／方丈東北隅に庭を設ける室町時代の原型をとどめた特別名勝枯山水庭園

right: The Scenic-Site-Par-Excellence dry landscape garden, archetypal of the Muromachi period
convention of building a garden in the northeast corner of the abbot's chamber.

左／舳先を立てて大河をゆく宝舟（長舟石）は自然のままの名石

left: The treasure ship ("long boat rock") slowly floating down the river with prow raised is a natural rock par excellence.

右／透渡殿から下の石庭を見る

right: Viewing the lower rock garden from the connecting corridor (suiwatadono).

庭を上下に隔てる透渡殿は
「人生の壁」にも見立てられる

The connecting corridor separating the garden into
its upper and lower portions is likened to "life's wall."

左／仏盤石　方丈北側

left: The Butsubanseki "Rock of Buddha," at the north of the *hôjô*.

右／方丈北側の石組　茶祖千利休はこの石組から「つくばい」を考案したという

right: The group of rocks on the north side of the *hôjô*.
It is said that the father of the Way of Tea, Sen Rikyû (1522-91), got his inspiration for
the *tsukubai* (low stone water-basin) from this group of rocks.

左／中海の石組み

left: The groups of rocks in the "Chûkai" (lit., "middle sea").

右／方丈北側にある書院「拾雲軒」と前庭「中海」の椿

right: The *shoin* (formal study) named Shûunken, on the north side of the *hôjô*, and camellia tree in its front garden, the "Chûkai".

左／方丈から前庭を望む

left: View of the front garden from the *hôjô*.

右／国宝玄関の火頭窓から方丈前庭を望む

right: View of the garden fronting the *hôjô*
as seen from the *katô-mado* window
of the National-Treasure entrance hall.

室町時代そのままの姿を伝える方丈
「大海」と呼ばれる前庭は
一対の盛砂を配しただけの
簡素な構成

The garden fronting the *hôjô*,
called "Taikai" or "Great Sea,"
has come down with form unchanged
from the Muromachi period,
and has a plain composition featuring
but two sand mounds.

方丈建築の特徴のひとつである
正面の広縁

The wide verandah on the front side
of the *hôjô* - a characteristic feature of
hôjô architecture.

仏教の故実にちなみ、四季折々の花が
慎ましやかに咲き継ぐ枯山水庭園。
簡素な庭を彩り、一期一会の命を現出する。

In the dry landscape garden,the modest flowers bloom in all seasons.
Flowers make the plain garden vividly,
and express the precept Ichigo-Ichie.
(Treasure every meeting, for it will never recur)

石畳が美しい参道

The beautiful stone walkway.

左／西側参道から大仙院方丈を望む

left: A glimpse of the Daisen-in *hôjô* as seen from the west walkway.

右／大徳寺本坊西側の参道脇に「大仙院書院庭園」の石標が立つ

right: To the side of the walkway west of the main Daitoku-ji building,
there is a stone pillar noting "Daisen-in Shoin Garden".

大徳寺北派本庵の格式が漂う大仙院の広い門前

The wide area in front of the gate to Daisen-in,
the main monastery of the northern Daitoku-ji stream,
exuding an appropriately distinguished air.

左／整然とした庫裏の玄関　敷石は卍を中心に十二支が配されている

left: The neat entrance to the *kuri*. The stones underfoot have the Buddhist manji symbol (卍)
at the center, with the twelve zodiacal animal signs on the outer stones.

右／一ノ門

right: The Ichinomon gate.

左／月光椿

left: "Gakkô" camellias.

右／庫裏玄関脇の椿

right: Camellias blooming to the side of the *kuri* entrance.

左／拾雲軒からすだれごしに見る名椿「岩根絞」

left: Glimpsed through reed blinds, the highly-acclaimed "Iwaneshibori" camellia tree
as seen from the Shûunken.

右／岩根絞

right: An "Iwaneshibori" blossom.

国宝玄関前庭　菩提樹が悟りの世界へ導く

The garden fronting the National-Treasure entrance hall.
The bo tree leads the way to enlightenment.

左／菩提樹の花

left: Flowers of the bo tree.

右／初夏の国宝玄関

right: The National-Treasure entrance hall in early summer.

左／廊下のように細長い国宝玄関

left: View from the hallway-like long and narrow
National-Treasure entrance hall.

右／国宝玄関から方丈を望む

right: View of the *hôjô*
from the National-Treasure entrance hall.

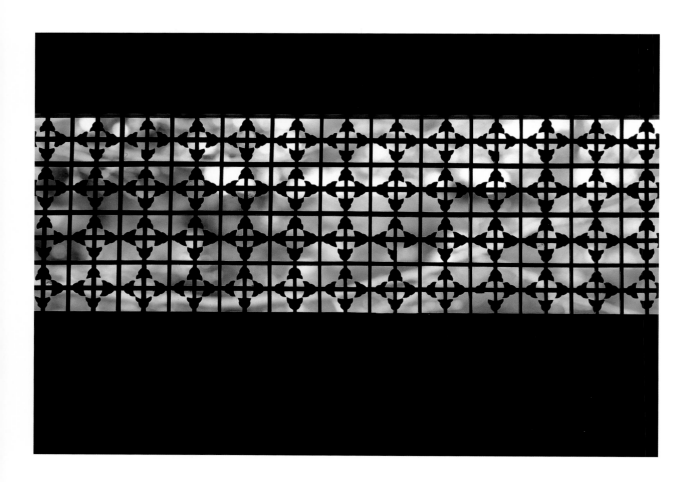

国宝玄関の欄間に施された美しい透し彫り

The beautiful openwork carried out on the transom of the National-Treasure entrance hall.

方丈　正面扉下部の透し彫り

The openwork on the bottom of the front doors of the *hôjô*.

禅寺体験にやってきた人々に法話を行う住職

The resident priest giving a talk to those who have come for a Zen temple experience.

方丈で行われる座禅会

Zazen meeting held in the *hôjô*.

山水図　伝相阿弥筆

Landscape painting attributed to Sôami.

四季耕作図　伝狩野之信筆

Painting of seasonal farming scenes attributed to Kanô Yukinobu.

左／四季花鳥図　伝狩野元信筆

left: Painting of seasonal birds and flowers attributed to Kanô Motonobu.

右／梅雨を彩る石榴の花

right: Flowers of the pomegranate bloom in the rainy season.

玄関前庭のスイレン

Pond lily in the garden fronting the entrance hall.

清楚な白い花をつけたクチナシ

Cape jasmine putting on its prim white flowers.

左／初夏の前触れ　沙羅の花

left: A sign of early summer - a *shara* blossom (*Stewartia pseudo-camellia Maxim.*).

右／方丈前庭の西南隅にある沙羅

right: *Shara* plant in the southwest corner of the "Taikai" garden of the *hôjô*.

左／風雅な縞薄

left: Japanese striped pampas grass is tasteful.

右／庫裏の中庭にあるノウゼンカズラの古木

right: An aged great trumpet flower plant in the interior garden of the *kuri* (priests' living quarters).

左／秋の境内を彩る紅葉

left: Autumn maples tinting the temple compound in the fall.

右／紅葉　簡素枯淡な趣の禅院もひととき表情を変える

right: Autumn maples. The atmosphere of seasoned simplicity of the Zen temple changes its expression for a brief spell.

初冬の境内　一ノ門付近

The temple compound in early winter. A scene near the Ichinomon gate.

冬の訪れ

Winter arrives.

雪の日、枯淡の境地極まる境内。
白の波紋が禅の意気を伝え、
朝日が美しく照り添う。

On snowy day, the temple compound is most simple and refined.
The wave pattern made by snow express the spirit of Zen,
and glow in the morning sun.

上の石庭　雪の蓬莱山
The upper rock garden. A snowy Hôraisan.

上の石庭　雪の蓬萊山

The upper rock garden. A snowy Hôraisan.

下の石庭　大河の流れに雪が降る

The lower rock garden. Snow falls on the flowing river.

左／冬の中海

left: The "Chûkai" ("middle sea") garden in winter.

右／中海にできた雪の波紋

right: The wave pattern made by the snow in the "Chûkai" .

前／淡雪に覆われた冬の大海

front: The "Taikai" garden in winter, covered by a veil of fleeting snow.

左／大海の盛砂に映える雪

left: The sand mounds in the "Taikai" garden glitter in the morning sun.

歴代和尚の進取の気鋭

尾関宗園

大徳寺について

　京都市の西北、紫野大徳寺町一帯に、京洛屈指の禅刹である臨済宗大徳寺派の総本山、龍宝山大徳寺があります。

　大徳寺は、鎌倉時代の末期に大燈国師、宗峰妙超禅師がこの地に庵を結ばれたことに始まります。そして、嘉暦元年（一三二六）には法堂が完成、さらに元弘三年（一三三三）にいたって後醍醐天皇から「本朝無双之禅苑」の宸翰を賜り、当時、五山の上にあった南禅寺と同等の地位に列せられるのです。

　室町時代に入ると、応仁元年（一四六七）に起こった応仁の乱によって、京都の町は焼け野原と化してしまいます。大徳寺も例にもれず、戦火を受けて炎上しましたが、やがて一休宗純和尚をはじめとする名僧があいついで現われ、復興を果たすのです。そしてその後は隆盛の道をたどり、日本有数の禅宗寺院として発展してきました。

　特に戦国時代以降、大徳寺に輩出する多くの名僧に帰依した諸大名や武将、さらに堺などの富豪が、次々に塔頭寺院を建立しました。塔頭というのは、高僧の塔所（墓所）として創建された寺院のことです。その結果、大徳寺山内には現在、大仙院を含めて二十二カ寺の塔頭があります。すなわち、

徳禅寺　暦応元年（一三三八）大徳寺第一世、徹翁義亨和尚の塔所として創建。

龍翔寺　鎌倉中期、後宇多天皇の御代に大燈国師の師である大応国師の塔所として創建された。現在、大徳寺派の修行専門道場となっている。

如意庵　大徳寺最初の塔頭で、第七世言外宗忠和尚を開祖とする。

真珠庵　四十七世一休宗純和尚の塔所。延徳三年（一四九一）創建。

養徳院　応永年間に足利義満の弟満詮が創建、明応年間に五十六世実伝宗真和尚の塔所となる。

龍源院　大徳寺南派本庵。永正元年（一五〇四）七十二世東渓宗牧禅師を開

祖として、能登の畠山、豊後の大友、周防の大内の三氏が創建。

興臨院　八十六世小渓紹怤和尚の塔所。天文年間（一五三二～五五）には畠
　　　　山義綱が建立。

端峰院　九十一世徹岫宗九和尚の塔所。キリシタン大名として知られる大友
　　　　宗麟が建立。

聚光院　三好義継が父長慶の菩提所として建立した。百七世笑嶺宗訴禅師の
　　　　塔所であり、茶道の祖、千利休の墓がある。

総見院　豊臣秀吉が織田信長の菩提を弔うために建立。開祖は百十七世古渓
　　　　宗陳和尚。

黄梅院　九十八世春林宗俶和尚の塔所。小早川隆景、毛利輝元が百十二世玉
　　　　仲宗琇和尚に帰依して建立。

三玄院　百十一世春屋宗園和尚の塔所。石田三成、浅野幸長、森忠政が創建。

正受院　九十三世清庵宗胃和尚の塔所。関民部大輔盛衡が創建。

大慈院　百二十九世天叔宗眼和尚の塔所。大友宗麟の姉見性院、織田信長の
　　　　女兄安養院、村上周防守義明、山口弘定らが建立。

高桐院　百三十世玉甫紹琮和尚の塔所。細川忠興が父幽斎の菩提を弔うため
　　　　に建立。

玉林院　百四十二世月岑宗印和尚の塔所。後陽成天皇の御殿医、曲直頼道三
　　　　正琳が建立。

大光院　豊臣秀長の菩提を弔うため大和郡山に建立されたが、のち大徳寺山
　　　　内に移された。開祖は古渓和尚。

龍光院　百五十六世江月宗玩和尚の塔所。黒田長政が父如水の追善のために
　　　　建立。

芳春院　百四十七世玉室宗珀和尚の塔所。加賀百万石、前田家の菩提寺。前
　　　　田利家夫人が建立。

狐蓬庵　百八十四世江雲宗龍和尚の塔所。小堀遠州が建立。

龍泉庵　七十世陽峰宗韶和尚の塔所。永正年間（一五〇四〜二一）、多賀豊
　　　　後守が建立。

大仙院開祖古岳宗亘禅師

　大徳寺の歴史の中で、法脈の系統として四つの流れがあります。すなわち、
龍源派（南派）、大仙派（北派）、龍泉派、真珠派の四派です。大仙院は、大徳
寺北派本庵として、塔頭の中でも特に地位の高い特例別格地とされています。
　大仙院は、永正六年（一五〇九）に大徳寺の七十六世住職をつとめられた大
聖国師、古岳宗亘禅師が創建されました。古岳禅師は近江国蒲生郡に生まれ、
二十三歳の時に大徳寺の春浦宗煕和尚のもとに参じ、さらにその弟子である実
伝宗真和尚について修行してその法を継ぎ、永正六年に大徳寺住職となられま
した。後柏原天皇や一条房冬、三条公兄らの公家、六角貞頼、小原定保らの武
家の帰依を受け、大永二年（一五二二）に後柏原天皇から仏心正統禅師の名を
賜わり、天文五年（一五三六）には後奈良天皇から正法大聖国師の号を請けて
おられます。後奈良天皇は古岳禅師に深く傾倒し、師とも親とも仰がれたとい
われます。禅師の語録として「乍苫稿」が残されています。
　古岳禅師は、『碧厳録』の完成者でもある中国宋代の臨済僧、園悟克勤の墨
蹟、いわゆる「園悟墨蹟」に傾倒されたと伝わっています。「流れ園悟」とよ
ばれ、現在東京国立博物館の所蔵になっている国宝の園悟墨蹟も、初め古岳禅
師が入手し、一時大仙院の什物であったことが知られています。園悟墨蹟は、
当時の茶の湯の世界で最高の墨蹟とされていたため、堺や京都の茶人がこの墨
蹟を拝見するために大仙院を訪れたようです。
　また大仙院は、茶の湯を大成された利休居士が生前から親しく詣られたとこ
ろしても有名です。利休居士も園悟墨蹟を譲られて所持されております。利休
居士を中心とする茶人の系譜からは、歴代和尚がたと密接なつながりのあった

ことがわかります。

　さらに、茶室の床の間、待ち合い、蹲踞などについて、利休居士が大仙院から学ばれたとする逸話も今日に伝えられています。茶の湯で用いられる蹲踞は、大仙院方丈北側の庭園の石組みにヒントを得て利休居士が考案したものといわれているのは、その一例です。

　大仙院には、ほかにもさまざまな由緒があります。室町時代随一といわれる庭園および方丈建築、襖絵などは、高い評価を受けている貴重な文化遺産であります。特に、方丈を取りまく枯山水庭園は、開祖、古岳禅師がみずから作庭したと伝わる見事な庭園です。また本堂はわが国最古の方丈建築で、襖絵は相阿弥、狩野元信、狩野之信といった室町時代の巨匠が手がけた作品で、室町時代の雰囲気を今日まで見事に伝承しているのです。

意気の推進者

　大仙院では開祖古岳宗亘禅師のあと、大林宗套（だいりんそうとう）（一四八〇〜一五六八）、笑嶺宗訴（一五〇五〜八三）、春屋宗園（一五二九〜一六一一）、古渓宗陳（一五三一〜九七）といった名僧が続きました。一方では、近世の初頭、永禄から慶長（一五五八〜一六一五）にかけて、聚光院、三玄院、龍光院といった北派の塔頭も建立されるようになり、大仙院はさらに威厳を増します。

　大仙院の歴代和尚のなかで、三世古渓宗陳和尚については、豊臣秀吉が醍醐の三宝院に庭園を築くにあたって、大聖国師の作庭された枯山水庭園の庭石を没収しようとした時、身を投じて防がれたという逸話が伝わっています。

　七世沢庵宗彭和尚（たくあんそうほう）（一五七三〜一六四五）は、二十二歳の時に大徳寺に入って修行をなし、三十二歳で禅修業を完成したという証明を受けられました。そして三十七歳で大徳寺の第百五十四世住職となられました。沢庵禅師は、一般には「たくあん漬け」を考え出した人物として知られていますが、まさに反骨

の人で、徳川幕府が大徳寺住職の資格について介入した紫衣事件の際、江戸に赴いて抗弁し、出羽国に流されています。また沢庵禅師は、大仙院の書院「拾雲軒」で宮本武蔵に剣の極意を授けたともいわれています。

このほかにも、大仙院には開祖以来、歴代の和尚方の中に多くの意気の推進者がおられます。その境涯に接するたび、ピシッと心が引き締まる思いがし、改めて姿勢を正すのであります。

利休居士の道歌の一つに「その道に入らんと思う心こそわが身ながらの師匠なりけれ」というのがありますが、これこそ進取の意気にほかなりません。古渓和尚と親交のあった利休居士にもこうした精神が脈々と流れていることがわかります。

特別史跡名勝枯山水庭園

大仙院は大徳寺山内でも北寄りのところ、本坊の北側に位置しています。本坊西側の参道を北に進み、本坊の北裏付近を右に曲がると、正面に真珠庵の門が見えます。石畳の続くこの参道にそって左手に広がっているのが大仙院の門前庭で、ここに立派な松の木が植えられています。これは今から五十年ほど前に、皇太子時代の今上陛下が植えられたものです。

真珠庵の手前まで来ると、大仙院の表門が見えてきます。表門を入ると、塵ひとつない境内には座禅修行の道場としての緊張と静寂がみなぎっています。

敷石の巧妙な細道を進み、すぐ左手に見えるのが方丈（本堂）の玄関です。その前庭には菩提樹が立派に枝葉を拡げており、初夏には清純な白い花をさかせます。

この玄関は、大徳寺北派本庵にふさわしい見事な構えの建物で、室町時代の特色を示す変化にとんだ美しい形式と細部装飾の見事な雅味を兼ね備えています。大変格調が高く、方丈とともに国宝の指定を受けています。

庫裏の玄関には、直径一メートルほどの大地球儀がおいてあります。禅寺に特大サイズの地球儀とは、と戸惑う人もおられると思いますが、実は、それがこの地球儀をおいている理由でもあります。つまり、何らかの予備知識をもってきた人に、いったんその知識を捨ててもらい、白紙の、素直な状態で、自分なりの大仙院を見てもらいたいのです。

　さて、庫裏から入って受付をすませ、方丈へと続く渡り廊下を進んでいただきますと、右手方向に石と砂ばかりの庭園があらわれます。これが、書院東庭の「下の石庭」です。亭橋の白壁の火頭窓（かとうまど）からは、石組みの枯れ滝がのぞいています。

　この庭園は、方丈の東北隅に庭を設ける室町時代の原形を今にとどめた、枯山水庭園のまさに傑作といえるでしょう。遠近法を巧みに利用して水墨山水画を見るような風景を展開し、白砂名石は静寂そのものの哲学的な境地を見事に具象化しています。

　方丈から庭を眺める。じっと眺め続けるとやがて、はるかな深山幽谷・滝の音が聞こえてくるように思われます。いつしか滝は流れとなり、流れは激流となって谷を一気に下ってまいります。尽きることは決してなく、ただひたすらに厳しい流れを見せつけます。しかし、気がつくと、そこには一滴の水もありません。静寂に支配された石組みと白砂の庭が広がるばかりです。

　方丈東庭にはその最も奥に椿の老木があり、その前に細い崖があります。その近くの鶴島と亀島の間には蓬萊山があって、そこから滝が勢いよく流れ落ちています。

　流れ落ちる力強い滝の水の生命力を砂をもって表わす、一般に枯山水といわれるものです。「滝、岩上に飛沫く」（打たれてもよい、はね返す力がある）――その滝壺の音を目でよみとってほしいと、横に観音石を立て、また、この世に生を受けたことの貴さは普遍であり、微動だにしないと、大きな不動石をも配しているのです。

滝の下に鯉魚石と名づけられた石があります。これは、滝に登り龍に生まれ変わろうとする鯉登りのすさまじい気構えをあらわしたものといわれ、それを称えるように、方丈屋根の縋破風がこれに呼応しています。

蓬莱山の滝石組みの前には石橋が架けられていますが、この橋は「行き悩む浮世の人を渡さずば、一夜を十夜の橋と思わん」といって、法話にも出てくる橋です。

滝から流れ落ちた水は、一つは西に流れて方丈北側を通り、さらに西行して書院「拾雲軒」と方丈にはさまれた中庭「中海」に達します。そしてもう一つの流れは方丈東側を南行して、方丈正面の「大海」に至ります。滝から出た水は、下流にいくほどに広く緩くなり、方丈南側の大海へと雄大な様子で広がります。

方丈東側を「上の石庭」と「下の石庭」に区切っているのが透渡殿です。透渡殿は寝殿と対屋を結んでいた渡り廊下の貴重な遺構ですが、あたかも水の流れに対して立ちはだかるように建てられているその姿から、寺ではこれを「人生の壁」と呼んでいます。

余談になりますが、数寄屋というのはもともと修行の道場として作ったもののようです。松平不昧候遺愛の「起こし絵図」は全部茶室ばかりですが、その一番最初にただ一点、この大聖国師庭園の透渡殿が建ち上がります。

石橋の下を流れ、透渡殿の下をくぐった水は、堰を落ちて大河となります。これが「下の石庭」で、ここには、艫を下げ、舳先を上げて、力強く大河をゆく自然の名石「宝舟」が浮かび、小亀の泳ぐ景色を見せてのち、方丈南側の「大海」に流れ込むのです。「大海」は、一対の盛り砂を配置しただけの極めて簡素な庭で、いかにも静寂な、哲学的な境地を感じさせます。

禅の精神を余すところなく表したこの庭は室町文化の象徴ともいわれ、まさに名実ともに日本屈指の枯山水庭園で、国の特別史跡名勝に指定されています。開祖大聖国師・古岳宗亘禅師が作庭したものと伝えられていますが、その行き

届いた精神は圧巻であります。

　私は、この枯山水を見るたびに、開祖の意気を感じるのです。天地いっぱい、大自然のどまん中で、雄々しく生き抜こうとする人間の意気。ほんの小さな空間ですが、そこには堂々たる人の意気がみなぎっているように思えるのです。

方丈と襖絵

　大仙院の本堂は室町時代の創建当時（永正六年）の姿をそのままに伝える、わが国最古の代表的な禅宗塔頭方丈建築です。禅生活が日本人の日常に浸透する過程を如実に伝える最古の貴重な遺構でもあります。開祖古岳宗亘禅師が、禅の考え方をもとに自ら建てられたものと伝えられています。

　建物はより正しい生活を便利に行なう場であるから過剰な装飾は無用であるとの考え方から、簡素かつ合理的な設計がなされたのです。六つに間仕切りをし、普段は襖で仕切りながら、自由に襖をはずして大部屋とすることができるこの建物は、後の住宅建築にも大きな影響を与えました。

　現在、礼の間、室中、旦那の間の三室の襖絵が掛幅に改装されて残されています。書院、衣鉢の間の中国故事人物図、禅宗祖師図は、現在は東京国立博物館の所蔵となっています。

　室中の間を飾っていた二十面に及ぶ大作の襖絵は、山水画の巨匠、相阿弥によるものと伝えられています。中国瀟湘の大自然を描いた見事な四季山水図であります。この絵をよく見ると、さまざまな自然描写が克明になされているが、非常にのびやかでおおらかな構図であり、水墨画最高の境地であるといえそうです。

　また、礼の間には、狩野之信筆とされる四季耕作図（八面）の襖絵が描かれていました。室町時代障壁画中の名品で、水墨を基調として淡彩を施し、四季の農作業の様子を描いたものです。お米の植えつけから取り入れまでを克明に

描いたもので、中国の昔の農夫を、親しみをもって描いています。その中に、四人がかりで田に水を汲んでいるのが、龍骨車です。「はねつるべ」とはまた違った機械でありながら、昔の中国の農家に取り入れられた見事な機械を拝見して驚きを覚えます。

　さらに、旦那の間には狩野元信筆と伝わる四季花鳥図（八面）の襖絵が描かれていました。これは、原色に近いたいへん鮮やかな彩りの作品で、華麗な印象を与えます。太い松の幹が大胆に画面を斜めに横切り、その背後に垂直に幅広く滝が流れるといった大胆な構図になっています。

　これらはいずれも室町時代障壁画中の名作として世界美術史上、欠くことのできない存在であり、現在重要文化財に指定され、京都国立博物館に寄託しています。

意気の道場

　私が大仙院の住職をおおせつかって、はや三十年以上の歳月が流れました。その間、本当にたくさんの方々が参拝にいらっしゃり、私も本当に多くの方と面識をもつようになりました。

　いうまでもなく、大仙院は禅宗寺院であり、その気風がそこここにみなぎっております。みなさんは、禅について、どのようなイメージを持っておられるでしょうか。

　禅というものは、現実から逃れて心の静寂を得るものでなく、また現実を見下して超然とするための教えでもありません。たしかに、静かな境地を得るための教えであり、その方法を与えてくれるものだとも考えられますが、本当は、一人一人が、それぞれの人生・境涯のまっただ中で、毎日毎日、一瞬一瞬をしっかりとかみしめ、大切に、勇敢に、たくましく、自己の人生に立ち向かっていくことができるような、強い人間を作り出すための教えであります。つまり、

禅とは「意気」であり、自分自身をよく見つめ、精いっぱいに現実に立ち向かっていく気概、それを養うことであります。

禅は、鎌倉時代に中国から日本に伝わったとされ、室町時代に入って最も栄えます。大仙院は室町時代に創建されましたが、当時の禅とその周辺を余すところなく今日に伝える「意気」の道場です。本院ご参拝の際に、そこかしこにみなぎる「意気」の存在を感じていただければ幸いであります。

只管打座

禅では「作務」といって、炊事やら掃除やら、さまざまの業を行ないます。ただじっと座禅をしているだけが禅ではなく、お寺のまわりの雑草を刈ったり、落ち葉やゴミを掃いたり、白足袋で歩いても汚れないように廊下を雑巾がけしたりします。山水を表わした庭はいつでもきれいに掃き清め、敷石のまわりには雑草が一本も生えていないように日ごろから努めております。いつもきれいにしてお客様をお迎えすることは当たり前のことであります。

私は、よく歌を歌いながら仕事をします。草むしりをしながら、便所掃除をしながら、廊下を歩きながら、いろいろな歌を歌います。

鼻歌まじりに仕事をしていると、不思議なもので、どんどん作業がはかどります。そして疲れはあまり感じません。本当に不思議なものです。何故でしょうか。それは仕事を義務と考えていないからです。「しなければいけない」のではなくて、やりたくてやっているのだから、自然と歌も出てくるというものです。

やりたいことをやっている時、人は生き生きしています。それならば、「仕事」とも遊んでみましょう。遊ぶといってもふざけてやる、気をぬいてやるということではなくて、楽しみながら行なってみようということです。

少し話が、横道にそれましたが、禅寺ではもちろん座禅を中心とした修行が

行なわれます。この座禅について簡単にご説明いたしましょう。

　座禅には、特別難しいことは何もありません。だれにでもどこででもすぐにできるものであります。「只管打座」すなわち、ただ坐る、ひたすら坐る、これが座禅であります。

　一人で坐り、自分自身と向き合う。大地に腰を降ろして自然と一体となる。背筋を真っすぐにのばして天と地をまっすぐに貫く。足を組み、背筋をのばして、体を安定させたら、全身の力を抜く。目はつぶらずに、視線を四十五度下のほうへ落とす。口は軽く閉じ、歯を軽く合わせる。そして終始リラックス。これが不動の姿です。天と地を貫いて、一個の己が坐っている。すきのない堂々たるその姿は凛として美しいものであります。

　姿勢が定まったならば、次は呼吸を一定に整えて、精神の統一をはかる。「数息観」と呼ばれるものです。息は鼻から吸って鼻から吐く。この時、火のついたロウソクが鼻の前にあると考えて、息を繰り返す時に、炎が少しも揺れないような静かさで、ゆっくりと息をする。鼻からの息が無意識にできるようになったなら、からだ全体にある無数の毛穴からもゆっくりと息を吸い、そして吐くことを意識して、周囲との一体を重んずる。このように自分の息をコントロールするうちに、次第にまわりのいろいろな人と息を合わせることができるようになるのです。

　他人と息が合うということは、心が同じくなるということであり、心と心が一つになり、意気がみなぎり、意気と意気がとけあうことになるのです。さらに息は意気に通じ、生きることに通じている。息が整えば、意気があふれ、生き生きとした自分が生まれます。そして極妙至極の新しい力が、自然に湧いて出てくるのです。そんな新しい力を持ったあなたのまわりでは、相手も変わってくるはずです。

歩歩是道場

　さらに座禅の間には、「経行」というものがあります。これは座禅をいったん解いて立ち上がり、ゆっくりとした歩調で禅堂内をめぐり歩くことであり、普通数分間行ないます。これは、座禅の合い間のほんの休憩時間のようなものであります。

　この時、あくまでも歩くことに意義があります。血液の流通を調整するだけでなく、気分転換をも兼ねた座禅と一筋の歩く禅であります。が、この間も、呼吸は決して乱しません。背筋をのばし、手を胸の前において叉手し、視線は座禅中と同じく四十五度に落としたままの姿勢で、ゆっくりと歩くのです。

　二本の足で立って歩くことは、人間が行動する基本であります。禅僧の歩き方は「虎視牛歩」と表現されます。あたかも虎のように鋭い眼をかっと見開き、まるで牛のようにのっそのっそと歩くということです。

　また「歩歩是道場」とも表現されます。これは行くところみなこれ悟りのまっただ中であり、立つのも坐るのもすべて悟りであるという意味です。また、日常の行動の一つ一つが修業の場であるから、目的に近づく一歩一歩にほかならないということです。一歩一歩あゆむことそれ自体が求める道であるというのです。

　つまり、人は歩くことによって、目指す目的に近づくことができる。確かな足取りで自分のペースを守りながら一歩ずつあゆむ、そのときの「自分」の目や耳、手や足、鼻や口が大切であり、それらすべてが備わり合わさってこそ、素晴らしい座禅といえるのです。息を整え、意気をみなぎらせて生き生きと毎日を迎えることが大切です。

　『碧巌録』に、「天上天下唯我独尊」という禅語があります。これは天地万物の間で、自分は最上尊貴の存在であるという意味で、人間は誰もが、この世に生まれた時から偉大な絶対尊厳があり、無限の可能性をもっているのです。

ですから決して自己の可能性を押し殺すべからず。天上天下唯我独尊、あなたの人生ではありませんか。顔をあげ、背筋をのばし、自分を信じきって生きることです。人生を意気に感じ、自己を信じて生きれば、恐れるものは何もありません。

　すべての人が、他のなに者の助けを受けることなく、見事に成す能力をもっているのです。まずは、自己の内なる能力を信じること、そして、あなたを取りまくまわりを信じること、そうすれば、まわりからも信じられるあなたとなるのです。

欲について

　大仙院の開祖、大聖国師は、「惑わず、てらわず、へつらわず」という簡潔な言葉で、禅者の心意気を表現されております。

　禅では無欲ということをそれほど問題にはいたしません。無欲になることなどできないからです。禅では、人間の欲を真正面から見つめ、欲の積極的な意味を強調します。沢庵和尚は、『不動智心妙録』の中で、欲について次のように説明しています。

　普通、欲というが、これはただ財産を欲しがるとか、金銀を集めることだけを指しているのではない。目が物を見るのも欲による。耳が声を聞くのも、鼻が香りをかぐのも、やはり欲によっている。何かをしてみようという思いが芽生えてくるのも、やはり欲です。われわれ人間のからだは、すべて欲のかたまりなのです。誰でも、強い欲を持っているのは、当たり前のことです。もちろん、欲でかためたような人間の体の中にも、無欲を本質とする部分が含まれています。しかしそれは、いつも激しい欲の影にかくれ、表に現われることがきわめてむずかしいのです。

　われわれ人間がさまざまな欲を持っていることをしっかりと知っていること

と、その欲におぼれてしまうこととは、まったく違います。欲におぼれてしまえば、やがて苦しみが待っているばかり。欲には際限がないから、これでいいという限界を知らないから。

　欲におぼれてしまわないためには、自分で自分を判断すればいいのです。自分の欲に自分がしっかりと気づいていればいいのです。そうすれば、無欲になろうとつとめることもないのです。

平常心是道

　朝起きてから、夜眠るまで、私たちはいろいろなことをしています。歯を磨き、顔を洗い、新聞を読み、食事をし、身支度を整え、仕事に出かけ、人と会い、用を済ませ、学校へいって勉強したり、運動もしたりする。様々なことをし、様々なことを考えます。怒ることもあれば、喜ぶことも、悲しむことも、楽しむこともあります。そうした毎日の一瞬一瞬、感情の波間に揺れながら、人間の心は常に動いているのです。そして、自分が自分のしている一つ一つのことに常に気がつけば、それはすなわち立派に禅の世界なのです。当たり前のことに気づくこと、当たり前の自分を発見し、真実が当たり前の中にあることに深く気づくのです。「平常心是道」ということです。

　平常心が道であるので、道を行ずることはさして難しくはないように思えますが、本当はこれが大変に難しいのです。思慮分別を捨て、しかつめらしい規範の意識も通り抜けて、無造作な心を自分のものにすることは、至難のことだからです。

　自然に備わった働きを無意識のうちに行なうほうが、下手に意識して行なうよりよほどすぐれており、よい結果をもたらす、ということがよくあります。人それぞれ、みんな自分だけの持っているすばらしい気だかさがあるのです。それは、その人が自分で意識して作り出したものではありません。他人をうら

やむのではなく、ただひたすら、自分がなそうとしていることに全力をあげて打ち込めばよいのです。

　私自身、毎日毎日研鑽を重ねる身です。次に記すのは庫裏の一角に掲げてある私の処世訓です。

　　今こそ出発点

　　人生とは毎日が訓練である
　　わたくし自身の訓練の場である
　　失敗もできる訓練の場である
　　生きているを喜ぶ訓練の場である

　　今この幸せを喜ぶこともなく
　　いつどこで幸せになれるか
　　この喜びをもとに全力で進めよう

　　わたくし自身の将来は
　　今この瞬間にある
　　今ここで頑張らずにいつ頑張る

　一人一人、ありのまま、あたりまえの姿をよりどころとして、人生を悠々と味わい、自由に生きていく。そのための道場として、また、代々続いてきた禅者たちの生き方の真骨頂を伝える「意気の道場」として、大仙院はあるのです。

撮影ノート

水野克比古

大仙院の枯山水庭園が傑出してすばらしいのは、その石組みの造形美に加えて、わずか一〇〇平方メートルほどの空間の中に深山幽谷・河川、すなわち自然界を見事に表現し切っていることであろう。そしてその場所が、住持が住居する書院に面した私的な住居庭園であること。その書院は国宝本堂の優美な建築空間の一部に属し、しかも縁先廊下の高さが庭園との高低差わずか三〇センチメートルほどで、部屋と庭とが一体化し、さながら京の市中にあって深山に身を置くという、禅宗寺院にとっては理想的な世界を現出していることだと思う。

　さて私はこの庭園から発せられてくる強靭なエネルギーをどのように受け止め、写真映像としてどのように表現しようかと困り果てていた。もちろん、ただ記録するだけでも価値はあるのだが…。

　やがて一九八七年の十月から本格的に当院を訪れ始めると、私の危惧は徐々に薄れていく。写真表現の本質は時間と空間を捉えることが原点であることと、庭園に惚れ込むあまり身構え過ぎていたことに気付いたのである。当院を訪れるたびに宗園和尚様から含蓄あるお話しをうかがったことがその一助になった。

　方丈正面に掲げられた「拈花殿」の扁額には、仏教の開祖釈迦牟尼、つまりお釈迦様が大衆の前で説法中に、蓮花を一

枝持って無言のまま大衆に示したという故実がある。それゆ
え当院には、椿をはじめ四季折々の花が植栽されているとい
う。表現を椿の花に託し、花を追う撮影を続けて行くうちに、
無類の椿好きな私は平常心にかえることが出来た。

　この枯山水庭園は、外界とを隔てる結界としての生垣が、
すべて椿で構成されている。春にはヤブツバキに交わって
「日光椿」や「月光椿」が気品ある花を咲かせ、庭園の屹立
する石組みを柔らかく包み込む。中海庭園には銘椿「岩根絞」
が美しい海原を演出し、庫裏玄関の唐破風屋根を背景に紅色
の唐子咲きの椿が来訪者を迎えている。初夏にはお釈迦様ゆ
かりの菩提樹が玄関前に、目立たないが芳しい花をつけ始め、
方丈前庭の白砂一色の大海の片隅では沙羅双樹が梅雨の長雨
に打たれている。

　沙羅は可憐な白花を朝に咲かせ、夕べには白砂の上にはら
りと落としてしまう。梔子、石榴の花、睡蓮と、慎み深く咲
き継いでゆくそれらの花は、意識をして見なければ来訪者は
気付かないだろう。ただそのようにさりげなく境内を彩って
ゆくのが私には嬉しかった。庫裏の中庭に創建当時から伝わ
る凌霄花が葦簾を背に燃えるような紅の花を咲かせている。
その光景を万感の思いを込めてゆっくりと最後に撮影した。
蒸し暑い京の夏が今年もやって来る。

表紙　　4×5　75mm　ISO100　2　f32
枯山水庭園に面する建具をすべて取り払ってワイドビューを楽しむ。

P4-5　　4×5　75mm　ISO100　2　f32

P6-7　　4×5　90mm　ISO100　1　f32
団亭橋（透渡殿）の中央部から枯山水を北へ望む。宝舟上から上流を眺めた角度になる。鶴島越しに蓬莱山を正面から見る。

P8　　6×7　75mm（S）　ISO100　1　f16　ストロボ光1灯

P9　　4×5　210mm　ISO100　1　f32
枯れ滝の下流に架けられた自然石の橋。その軽やかさが枯山水全体の豪快さを引き立てる。

P10　　6×7　135mm　ISO100　1/2　f32
庫裏の屋根に登って本堂屋根の書院東北隅を見る。軒先の縋破風の美しさを写し撮る。

P11　　6×7　135mm　ISO100　2　f32

P12　　6×7　300mm　ISO100　1.5　f32
透渡殿の火頭窓の額縁の中で、植栽の緑に囲まれた観音石と不動石とが寄り添う。

P13　　6×7　45mm　ISO100　1/4　f22

P14　　4×5　180mm　ISO100　2　f22

P15　　6×7　45mm　ISO100　1.5　f22

P16-17　4×5　120mm　ISO100　2　f32

書院と札の間の障子をはずし、両室の境の敷居上にカメラをセットする。方丈東庭を二分する団亭橋が姿を消し、東庭が一つに繋がる。

P18　　6×7　135mm　ISO100　2　f32
昨夜来の雨水が仏盤石に溜り、自然のつくばいが現出する。

P19　　6×7　75mm（S）　ISO100　1.5　f32

P20　　35mm　100mm　ISO100　1　f16

P21　　6×7　75mm（S）　ISO100　1.5　f22

P22　　6×7　75mm（S）　ISO100　1　f22

P23　　6×7　75mm（S）　ISO100　1/2　f32

P24-25　6×7　45mm　ISO100　1/2　f22

P26-27　6×7　45mm　ISO100　1　f22

P29　　6×7　75mm（S）　ISO100　2　f32
塵ひとつない清浄感、雨上がりの石畳は実に美しい。人工と自然が作りだす妙。

P30　　6×7　75mm（S）　ISO100　1.5　f32

P31　　6×7　75mm（S）　ISO100　1/8　f16

P32-33　6×7　45mm　ISO100　1/2　f22

P34　　6×7　45mm　ISO100　1　f22
玄関前の石畳、雨に濡れて御影石は美しく光る。「子」一字だけ陰刻され他は省略された十二支の意匠。

P35　　6×7　75mm（S）　ISO100　2　f32

P36　　6×7　200mm　ISO50　1/4　f11

P37　6×7　135mm（M）　ISO100　1　f22

P38　35mm　50mm　ISO100　1/15　f11
レンズの絞り加減ですべて決まる。手前の簾
を美しく見せられるか、煩しく見せてしまうか。

P39　35mm　100mm（M）　ISO100　1/60　f4

P40-41　6×7　45mm　ISO100　1/4　f22

P42　35mm　100mm（M）　ISO100　1/125　f4

P43　6×7　75mm（S）　ISO100　1　f32
国宝玄関への道に菩提樹が花をいっぱいに
つけて枝を差しかけている。甘い香りが一面
に漂う。

P44　6×7　75mm（S）　ISO100　2　f32

P45　6×7　75mm（S）　ISO100　4　f32
国宝玄関の内部。柱や虹梁、そして榟などの
機能美をローアングルから狙う。

P46　6×7　200mm　ISO100　1/4　f8

P47　6×7　135mm　ISO100　1/60　f8
冬の早朝、斜光が深く入り込み、唐戸の下部
の花狭間の透し彫りが輝いている。歳月を経
た木質の美しさを表現する。

P48　35mm　40mm　ISO100　1/30　f8

P49　35mm　85mm　ISO100　1　f11

P50～52　写真提供　京都国立博物館

P53　35mm　100mm（M）　ISO100　1/60　f4

P54　35mm　100mm（M）　ISO100　1/60　f5.6

P55　35mm　100mm（M）　ISO100　1/4　f16

P56　35mm　100mm（M）　ISO100　1/125　f4

P57　6×7　75mm（S）　ISO100　1/4　f32
白砂の上の白い落花、沙羅の形のよい枝ぶり
と緑の葉が清浄感をさらに増している。

P58　6×7　135mm　ISO100　1/30　f8

P59　6×7　135mm　ISO100　1/15　f11

P60　6×7　75mm（S）　ISO50　1/2　f16
境内の西側の土堀際にある数本のカエデの
小木が、当院にも錦秋の訪れを告げている。

P61　6×7　135mm（M）　ISO100　1/4　f11

P62　6×7　75mm（S）　ISO100　1/8　f16

P63　6×7　75mm（S）　ISO100　1/15　f22
山門内の土堀に山法師の冬木が影を落して
いる雪晴れの朝。

P65　6×7　200mm　ISO100　1　f32

P66　6×7　55mm　ISO100　1/60　f8

P67　6×7　45mm　ISO200　1/30　f8
今朝は白砂に替わって白雪の河を宝舟が
悠々と進む。一絞り増感現像でフィルム感度
を上げ、中速シャッターで降る雪を写し撮る。

P68　6×7　45mm　ISO100　1/4　f16

P69　6×7　135mm　ISO100　1/2　f32

P70-71　6×7　45mm　ISO100　1/15　f16

P72　6×7　135mm　ISO100　1/30　f11

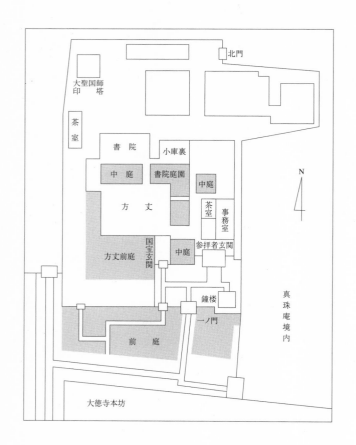

文化財

国宝
　　大仙院本堂（方丈）　附　玄関
　　大燈国師墨跡（一幅）
重要文化財
　　大仙院書院（拾雲軒）
　　紙本淡彩四季耕作図　伝狩野之信筆（八幅）
　　紙本著色花鳥図　伝狩野元信筆（八幅）
　　紙本墨画瀟湘八景図　伝相阿弥筆（十六幅）
　　紙本墨画瀟湘八景図　相阿弥筆（六幅）
　　牡丹孔雀模様堆朱盆　張成作（一面）
史跡及び特別名勝
　　大仙院書院庭園
名勝
　　大仙院庭園

年中行事

2月24日　開祖忌（非公開）
3月17日　古渓忌
毎月24日　奉恩座禅会（要事前申込）
毎週金、土、日曜日　週末座禅会（要事前申込）
春・夏（日不定）　親子座禅教室（要事前申込）

所在地

京都市北区紫野大徳寺町54-1
市バス大徳寺前下車、徒歩8分

DAISEN-IN

Among the *tatchû*, or minor temples, within the compound of the renowned temple Daitoku-ji located in the Murasakino district in the northern section of Kyoto city, Daisen-in commands a position of particularly high rank. It is called the main monastery of the northern Daitoku-ji stream. Founded in 1509 by the Zen master Kogaku Sôkô, known also as Daishô Kokushi, Daisen-in has rare value in that it faithfully transmits the form of Zen temple which existed during the Muromachi period, when Japanese Zen Buddhism was at its height. The *hôjô*, or abbot's chamber, is the oldest extant example of *hôjô* architecture in Japan, and has been designated a National Treasure, as has the entrance hall. As for paintings, there are the landscape attributed to the famed painter Sôami (1445-1525), the flowers and birds of the seasons attributed to Kanô Motonobu (1476-1559), and the seasonal farming scenes attributed to Kanô Yukinobu (Muromachi period), all designated Important Cultural Properties. Daisen-in's fame, however, owes to its dry landscape garden, designated both as a Scenic Site Par Excellence and Historic Site. Zen master Kogaku Sôkô is said to have built this garden himself. Rocks are used to represent mountains, sand to represent water, and while the whole depicts Nature or the Universe, it splendidly reveals a philosophical realm. At Daisen-in, the Zen spirit is pulsing with life, attracting many people.

尾関宗園
Ozeki Sôen

1932年、奈良市に生まれる。高校生の時に仏門に入り、
奈良教育大学を卒業後、京都の相国寺僧堂で雲水修行。
1965年、大徳寺塔頭大仙院の住職となる。
ユニークな法話で知られ、講演活動を各地で積極的に続けている。
『不動心』(徳間書店)、『大安心』(PHP研究所)、
『縛られず、こだわらず、愉快に』(KKロングセラーズ)はじめ
著書も多い。

水野克比古
Mizuno Katsuhiko

1941年、京都市上京区に生まれる。1964年同志社大学文学部卒業。
1969年から、フリーランス・フォトグラファーとして、
日本の伝統文化を深く見つめ、京都の風物を題材とした撮影に取り組む。
日本写真家協会会員。日本写真芸術学会会員。
著書として『こころの京都』(主婦の友社)、『京都・こだわりの散歩道』(文英堂)、
『京都坪庭』(光村推古書院)、『LANDSCAPES FOR SMALL SPACES』
(講談社インターナショナル)など105冊がある。

尾関宗園「歴代和尚の進取の気鋭」、水野克比古「撮影ノート」は、
淡交社刊『大仙院』(1998年)より転載。

大仙院
DAISEN-IN

発行日
2003年6月1日　初版発行

著者
尾関宗園　水野克比古

編集
姫野希美

装訂
大西和重

発行者
安田英樹

発行所
株式会社青幻舎
京都市中京区三条通東洞院西入ル
Tel.075-252-6766　Fax.075-252-6770
http://www.seigensha.com

印刷・製本
日本写真印刷株式会社

Printed in JAPAN
©2003 Ozeki Sôen Mizuno Katsuhiko
ISBN4-916094-72-7 C0072 ¥1600E
無断転写、転載、複製は禁じます。